El conde Lucanor

Don Juan Manuel

ANAYA ñ ELE

© Del texto: Grupo Anaya, S. A., 2002
© De los dibujos: Grupo Anaya, S. A., 2002
© De esta edición: Grupo Anaya, S. A., 2002
Juan Ignacio Luca de Tena, 15 - 28027 Madrid

3.ª reimpresión: 2006

Depósito legal: M-13.373-2006
ISBN: 84-667-5263-3
Printed in Spain
Imprime: Lavel, S. A. Gran Canaria, 12. Polígono Los Llanos
28970 Humanes (Madrid)

Adaptación del texto: Alberto del Río Malo

Equipo editorial
Coordinación y edición: Milagros Bodas, Sonia de Pedro
Maquetación: Ángel Guerrero
Ilustración: José Luis García Morán
Cubiertas: Taller Universo: M. Á. Pacheco, J. Serrano
Grabación: Texto Directo

Fotografía de cubierta:
© Archivo Anaya
Don Juan Manuel orante.
Anónimo, siglo XIV. Retablo de Santa Lucía,
catedral de Murcia.

Índice

El autor y su obra

Don Juan Manuel (1282-1348) es uno de los escritores más importantes y originales de la literatura española medieval. Nacido en Escalona (Toledo), fue sobrino del rey de Castilla Alfonso X el Sabio (1221-1284), por quien sintió una gran admiración, y nieto de Fernando III el Santo (1201-1252). Don Juan Manuel fue un hombre de armas que cultivó también las letras. Como caballero recibió formación para el arte de la guerra pero también estudió latín, derecho, teología e historia. Fruto de su profundo conocimiento del mundo de las armas, en 1326 escribió el *Libro del caballero y del escudero*.

Su obra más conocida es *El conde Lucanor*, escrita en 1335; en ella don Juan Manuel, mediante la exposición de diferentes ejemplos, pretende educar y moralizar de una manera agradable y entretenida. La estructura narrativa del libro es muy sencilla. Un joven señor feudal, el conde Lucanor, plantea a su consejero, Patronio, los diferentes problemas que se le presentan y este le responde mediante un cuento o

enxiemplo en el que se describe una situación pareci-
da al conflicto planteado por el conde. Al final de
cada cuento se dice que el conde aplica el consejo con
buen resultado y don Juan Manuel añade unos versos
que resumen la intención del cuento o moraleja.

A través de los cuentos podemos conocer la realidad de la época. El propósito final del libro se expre-
sa claramente en el prólogo de la obra: se pretende
aumentar la fama, la honra* y la hacienda* –que eran
las preocupaciones típicas del noble castellano de la
época– y además conseguir la salvación del alma.

La lengua refleja cierta inmadurez narrativa por el
uso excesivo de la conjunción copulativa "y", las
estructuras paralelas y la repetición de ideas, el uso
constante de ciertas expresiones propias del lenguaje
oral o la repetición de algunos verbos como "decir",
"contar" o "preguntar", algo muy frecuente en los
escritores medievales.

Don Juan Manuel es, junto con Chaucer y Bocca-
ccio, uno de los cuentistas más importantes del siglo
XIV y muchos cuentos que aparecen en *El conde
Lucanor* influyeron en Miguel de Cervantes (1547-
1616), William Shakespeare (1564-1616), Tirso de
Molina (1579-1648) o Jorge Luis Borges (1899-
1986). Murió en Peñafiel (Valladolid) y fue enterra-
do en el monasterio de la ciudad.

PRÓLOGO

Este libro fue escrito por don Juan, hijo del noble infante[1] don Manuel, para que los hombres hiciesen en este mundo obras que les sirvieran de provecho, aumentaran su honra, su hacienda y su poder y pudieran salvar sus almas. Así, recogió los cuentos más provechosos que escuchó para que el lector aprendiera el arte de vivir. En los ejemplos siempre se encuentra alguna cosa que aprender.

Como don Juan sabe que en los libros se producen muchos errores al copiarlos, y que los lectores echan la culpa al autor, ruega a quienes lean cualquier libro suyo y encuentren alguna palabra mal

---

[1] *infante:* título que obtienen los parientes del rey.

escrita no le culpen* de nada hasta que vean el manuscrito* que él mandó escribir –corregido en muchos lugares– de su puño y letra[2]. El manuscrito se encuentra en el monasterio de Peñafiel[3]; si alguien lo lee y encuentra algún error, no crea que se trata de una negligencia*, sino que es culpa de quien, sin mucho conocimiento, se atrevió a tratar de materias tan importantes. Pero Dios sabe que lo hizo para enseñar a la gente que no es sabia ni culta. Por eso escribió todas estas obras en romance[4], señal de que lo hizo para los que saben tan poco como él.

Aquí comienza el *Libro de los cuentos del conde Lucanor y de Patronio*.

---

[2] *de su puño y letra:* que está escrito por el mismo autor.

[3] *Peñafiel:* monasterio fundado en 1318 por don Juan Manuel. Se encuentra en la localidad del mismo nombre, en la provincia de Valladolid.

[4] *romance:* aquí hace referencia al castellano, entonces la lengua del pueblo, contrapuesta al latín.

CUENTO I

LO QUE LE SUCEDIÓ A UN REY CON UN MINISTRO SUYO

Una vez el conde Lucanor estaba hablando con su consejero Patronio y le dijo:

—Patronio, un amigo mío rico y poderoso me confesó en privado que iba a dejar estas tierras para siempre. Por el afecto y la confianza que tenía en mí, quería venderme parte de sus propiedades. Yo creo que me convendría hacerlo pero antes de decidirme me gustaría oír vuestra opinión.

—Señor conde Lucanor —le respondió Patronio—, mi consejo no os hace falta, pero si queréis que os diga lo que pienso os lo diré. En primer lugar os advierto de que ese que pensáis que es vuestro amigo os dijo eso solo porque os quiere poner a prueba. Es un caso muy parecido a lo que le sucedió a un rey con su ministro.

El conde le rogó entonces que se lo contara.

–Señor –dijo Patronio–, había un rey que tenía un ministro en quien confiaba mucho. Como la envidia* es algo natural en el hombre, los demás ministros le envidiaban y siempre intentaban que fracasara* ante el rey. Sin embargo, nunca le pudieron perjudicar* ni lograron que el rey desconfiara de su lealtad. Como no consiguieron lo que querían, le dijeron al rey que el ministro planeaba matarle a él y al heredero* al trono*, aún un niño, para poder apropiarse del reino. Aunque el rey nunca había sospechado* de su ministro, al oír estas acusaciones tan graves no pudo evitar tener ciertas dudas, pero como siempre había confiado en él no quiso hacer nada contra él hasta no saber toda la verdad. Y el rey hizo lo que ahora veréis.

Estando a solas con su ministro, a los pocos días, le dijo que estaba ya cansado del mundo porque estaba lleno de vanidad*. Después de unos días el rey habló otra vez con su ministro, y volvió a insistir* en lo poco que le gustaba la vida y todo lo que veía a su alrededor. Y fue insistiendo tanto durante los días siguientes que al final el ministro se convenció* de que el rey estaba realmente desengañado del mundo.

Cuando el rey comprendió que le había convencido, le comunicó que había pensado en abandonar sus tierras para irse a algún lugar donde nadie le conociera.

Cuando el ministro le oyó decir esto le contestó que no debía abandonar su reino, porque si lo hacía habría grandes desórdenes y guerras. Además tenía que pensar en la reina y en su pequeño hijo, los cuales estarían en peligro y podrían perder los bienes[5] e incluso la vida.

A esto contestó el rey que, antes de abandonar sus tierras, había pensado dejar a su mujer y a su hijo a su cuidado y entregarle todas las ciudades del reino, pues estaba satisfecho de su servicio y de su lealtad y sabía que podía fiarse* de él más que de ningún otro de sus ministros y consejeros. Decía el rey que así, si algún día decidía volver, encontraría en orden todo lo que había dejado en su poder, y si muriera sabía que serviría lealmente a la reina y mantendría el reino en paz hasta que su hijo creciera y pudiera reinar.

Cuando el ministro oyó al rey expresar esto, se puso muy contento pensando que si todo quedaba en sus manos podría disponer y mandar libremente, aunque trató de disimular* su alegría.

---

[5] *bienes:* riqueza y patrimonio.

Este ministro tenía en su casa a un cautivo⁶ muy sabio al que solía consultar todos sus asuntos. Al narrarle lo ocurrido le mostró su satisfacción, ya que el rey quería poner en sus manos el gobierno y al príncipe. Cuando el sabio cautivo escuchó lo que su señor había hablado con el rey, y al comprobar que su intención era la de quedarse con el niño y el reino, comprendió que había caído en una trampa, pues el rey no pensaba en realidad hacer nada de lo que había dicho, sino que, influido por sus enemigos, el rey quería poner a prueba su lealtad. El ministro entonces se angustió* mucho al comprobar que todo era como su cautivo le decía. Cuando este le vio tan preocupado le aconsejó evitar el peligro en que se había metido.

Finalmente el ministro se convenció y aquella misma noche se hizo afeitar la cabeza y la barba, buscó un vestido viejo, como el que llevan los mendigos* que piden limosna*, un bastón* y unos zapatos rotos. En las costuras* del vestido metió una gran cantidad de monedas y cuando amaneció se fue a palacio. Allí, le dijo al guardia de la puerta que, en secreto, le avisara al rey para que se levantara, que él ya le estaba esperando. El guardia se sorprendió mucho al ver al ministro vestido de aquella manera pero fue a buscar al rey y le contó lo sucedido. El rey, con gran asombro, pidió que le hicieran entrar; al verlo le preguntó por qué iba vestido

---

⁶ *cautivo:* prisionero de guerra.

como un mendigo. El ministro le respondió que había decidido irse con él para servirle. Para ello llevaba cosido en su ropa dinero suficiente para toda la vida. El rey escuchó a su ministro y pensó que lo hacía movido por su lealtad. Fue entonces cuando le contó la verdad: que los otros ministros le habían engañado y que, en realidad, no quería abandonar su reino sino que le quería poner a prueba. De este modo, el ministro estuvo a punto de ser engañado por su ambición si no le hubiera aconsejado su sabio cautivo.

A vos[7], señor conde, también os conviene no ser engañado por el que consideráis como vuestro amigo, pues podéis estar seguro de que él, igual que el rey, os dijo aquello para poner a prueba vuestra amistad. Cuando volváis a hablar con él, decidle que solo deseáis su bien y su honra. Que no queréis poseer sus tierras ni sus bienes, sino mantener su amistad.

El conde Lucanor vio que Patronio tenía razón e hizo caso de su consejo y obtuvo muy buen resultado. Viendo don Juan que este cuento era bueno, lo hizo poner en este libro y escribió estos versos:

Con ayuda de Dios y con buen consejo,
salva el hombre su vida y llega a viejo.

---

[7] *vos:* fórmula de tratamiento antigua en lugar de "usted". Concuerda con la 2.ª persona plural del verbo.

CUENTO II

LO QUE LE SUCEDIÓ A UNA ZORRA CON UN CUERVO* QUE TENÍA UN TROZO DE QUESO EN EL PICO[8]

Hablando otra vez el conde Lucanor con Patronio, su consejero, le dijo así:

—Patronio, un hombre que es amigo mío empezó a elogiarme* mucho hablándome de mi gran mérito, mi honra y mi poder. Después de halagarme*, me propuso una cosa que creo que me conviene.

Entonces el conde le contó a Patronio lo que su amigo le proponía. A primera vista parecía beneficioso, pero ocultaba un engaño del que Patronio se dio cuenta enseguida. Así se lo demostró al conde contándole el siguiente relato.

---

[8] El origen de este cuento se encuentra en la famosa fábula de Fedro, fabulista latino del siglo I d. C.

Pasó por allí una zorra que, cuando vio el queso en el pico del cuervo, empezó a meditar en la manera de poder quitárselo.

–Señor conde Lucanor, creo que ese hombre os quiere engañar del mismo modo que le sucedió al cuervo con la zorra.

El conde le preguntó qué le había sucedido.

–Señor conde –dijo Patronio–, una vez un cuervo encontró en el suelo un trozo muy grande de queso y se lo subió a un árbol para comérselo tranquilamente, sin que nadie le molestara. Pasó por allí una zorra, que, cuando vio el queso, empezó a meditar en la manera de poder quitárselo. Y así, empezó a hablar con él diciéndole:

–Don Cuervo, hace ya mucho tiempo que he oído hablar de vuestra elegancia y hermosura, pero ahora que os veo creo que la realidad es muy superior a lo que me habían contado. Hay ignorantes que hablan de vuestros defectos. Dicen que el tener las plumas, los ojos y el pico negros os hace muy feo, pero aunque vuestras plumas son negras su negrura es tan brillante que tiene reflejos* azules, como las plumas del pavo real, el ave más hermosa del mundo. Aunque vuestros ojos son negros también, el color negro es para los ojos mucho más hermoso que ningún otro, y como la propiedad de los ojos es la de ver y el color negro hace ver mejor, los ojos negros son los mejores. Por eso la gacela* tiene los ojos más oscuros que ningún otro animal.

Además, tenéis el pico y las garras* mucho más fuertes que ninguna otra ave de vuestro tamaño. Cuando voláis lo hacéis con tanta ligereza que podéis ir contra el viento por fuerte que sea y con más facilidad que ninguna otra ave de vuestro tamaño. Sé que Dios no deja nada imperfecto, por lo que no os habrá negado el don[9] de cantar mejor que ningún otro pájaro. Don Cuervo, aprovechando que estoy ante usted, impresionada ante tanta belleza, me haría muy feliz si me permitiera oírle cantar.

–Fijaos bien, señor conde, que, aunque la intención de la zorra era engañar al cuervo, siempre le dijo la verdad. Debéis desconfiar de la verdad engañosa, que es la madre de los peores engaños.

Cuando el cuervo vio de qué manera le hablaba la zorra, se creyó todo lo que le dijo sin sospechar que en realidad lo hacía para quitarle el queso que tenía en el pico. Conmovido* ante tantos elogios y ante la insistencia de la zorra, abrió el pico y el queso se le cayó al suelo. Rápidamente, la zorra lo cogió y huyó con él. De esta forma engañó al cuervo: le hizo creer que era muy hermoso y que tenía más perfecciones de las que en verdad tenía.

Vos, señor conde Lucanor, debéis ver que, aunque ciertamente sois hombre de mérito y poder, esa per-

---

[9] *don:* la habilidad para hacer una cosa.

sona solo os lo dice porque os quiere engañar. Tened mucho cuidado con él.

Al conde le gustó mucho lo que Patronio le dijo y evitó grandes daños* al seguir su consejo. Como don Juan comprendió que el cuento era bueno, lo hizo poner en este libro y escribió unos versos que dicen así:

Quien te alaba* lo que tú no tienes,
cuida que no te quite lo que tienes.

CUENTO III

LO QUE LES SUCEDIÓ A DOS HOMBRES QUE HABÍAN SIDO MUY RICOS[10]

–Patronio, bien sé que Dios me ha dado más de lo que yo merezco*, pero algunas veces me encuentro tan necesitado de dinero que querría tanto la muerte como la vida. ¿Tenéis algún consejo para esto?

–Señor conde –dijo Patronio–, para que os podáis consolar* cuando os suceda algo así, debéis conocer algo similar que les sucedió a dos hombres que habían sido muy ricos.

El conde le rogó que le contara cómo había sido aquello.

---

[10] El tema de este cuento, que es de origen árabe, aparece también en *La vida es sueño,* de Calderón de la Barca (1600-1681), dramaturgo español y una de las figuras más importantes del Siglo de Oro de la literatura española.

–Señor conde Lucanor –dijo Patronio–, de estos dos hombres, uno de ellos llegó a ser tan pobre que al final no le quedó para comer más que un plato de altramuces[11]. Mientras sacaba las semillas* de los altramuces, que son amargos* y tienen mal sabor, iba tirando las cáscaras* detrás de él. Al recordar lo rico que había sido y el hambre que ahora pasaba, empezó a llorar al ver que tenía que comer altramuces. En medio de este sufrimiento* notó que detrás de él había otra persona; al girar la cabeza vio que un hombre se estaba comiendo las cáscaras de los altramuces que él tiraba al suelo. Este era el otro hombre que, como os dije al principio, también había sido rico.

Cuando el hombre vio aquello le preguntó por qué se comía las cáscaras. Le respondió que, aunque había sido mucho más rico que él, ahora había llegado a ser tan pobre y tenía tanta hambre que se alegraba mucho de comer las cáscaras que él tiraba. El primer hombre se consoló al comprobar que había en el mundo gente mucho más pobre que él y pensó que no tenía motivos para estar tan triste. Con este consuelo se esforzó por salir de la pobreza y volvió otra vez a ser rico.

Vos, señor conde Lucanor, cuando os falte dinero pensad que otros más ricos pueden estar pasándolo

---

[11] *altramuces:* planta que se usa para alimentar al ganado*. Algunas personas se comen sus semillas.

peor y que estarían muy felices si pudieran darles algo a sus gentes, aunque fuera menos de lo que vos dais a las vuestras.

Al conde le pareció muy bien el consejo de Patronio, y con mucho esfuerzo y la ayuda de Dios logró salir de la situación en que se encontraba.

Viendo don Juan que este cuento era bueno, lo hizo poner en este libro y escribió unos versos que dicen así:

Por pobreza nunca desesperéis,
pues otros más pobres que vos veréis.

CUENTO IV

LO QUE LE SUCEDIÓ A UN REY CON UN HOMBRE QUE LE DIJO QUE SABÍA HACER ORO

Un día hablaba el conde Lucanor con Patronio, su consejero, de este modo:

—Patronio, un hombre me ha venido a ver y me ha dicho que podría darme mucho poder y muchas riquezas si a cambio le doy algo de dinero. Por el buen entendimiento que Dios os ha dado, decidme si creéis que esto podría beneficiarme.

—Señor conde Lucanor —le respondió Patronio—, para saber si os conviene o no, os diré lo que le sucedió una vez a un rey con un hombre que decía que sabía hacer oro.

El conde le preguntó qué le había sucedido.

–Señor conde Lucanor –dijo Patronio–, había un pícaro[12] que era muy pobre y tenía muchas ganas de hacerse rico para salir de la mala vida que llevaba. Un día se enteró de que había un rey, no muy inteligente, que estaba intentando hacer oro. Entonces, el pícaro tomó cien monedas de oro y las fue limando* hasta que las convirtió en polvo; juntando el polvo del oro con otros materiales hizo cien bolas, cada una de las cuales contenía el oro de una de las monedas. Después, se puso ropas elegantes y se fue a la ciudad donde vivía el rey. Allí vendió todas las bolas a un boticario[13] por dos o tres monedas. El boticario le preguntó para qué servían; el pícaro le respondió que para muchas cosas, pero, sobre todo, para fabricar oro. Entonces, el boticario le preguntó cómo se llamaban y el pícaro le dijo que aquellas bolas eran tabardíes[14].

El pícaro estuvo un tiempo en aquella ciudad diciendo a unos y a otros que sabía hacer oro. Cuando la noticia llegó al rey, este le mandó llamar y le preguntó si era cierto lo que se decía de él. Al princi-

---

[12] *pícaro:* persona traviesa y astuta*. Da nombre a la llamada "literatura picaresca" española donde un pícaro es el protagonista de la historia. Entre las obras más famosas se encuentran *Lazarillo de Tormes* (1554), *Guzmán de Alfarache,* de Mateo Alemán (1599 y 1604), o *El buscón,* de Quevedo (1626).

[13] *boticario:* persona que prepara y vende medicinas.

[14] *tabardíes:* nombre inventado por don Juan Manuel.

pio el pícaro lo negaba, pero finalmente admitió* su destreza para hacer oro y prometió enseñarle cómo hacerlo si guardaba el secreto. Entonces, el pícaro mandó traer todas las cosas necesarias, entre ellas una bola de tabardíe. Después fundió todos los materiales delante del rey y salió oro por valor de una moneda. El rey se puso muy contento al ver lo fácil que era y se creyó el hombre más afortunado del mundo. Entonces le pidió al pícaro que hiciese más oro. El pícaro respondió con naturalidad:

–Señor, todo lo que sabía os lo he enseñado; de aquí en adelante vos lo haréis tan bien como yo. Solo debéis recordar los materiales que se necesitan, pues si falta alguno de ellos no podréis hacer oro.

Dicho esto, se despidió del rey y se fue a su casa. Cuando el rey se quedó solo intentó hacer oro por sí mismo con los ingredientes que el pícaro había pedido, y lo logró. Cuando el rey vio que era capaz* de hacerlo, mandó traer los materiales necesarios para hacer oro por valor de mil monedas. Pero, aunque encontraron las demás cosas, nadie fue capaz de hallar el tabardíe. Al ver que por falta de tabardíe no podía hacer oro, llamó al pícaro y le contó lo que sucedía. Entonces el pícaro le dijo que en su país había mucho tabardíe y que él estaba dispuesto a ir a buscarlo. Le hizo un cálculo al rey y le pidió gran cantidad de monedas para los gastos del viaje y la compra de tabardíe. Cuando el pícaro cogió el dinero se fue rápidamente de allí y no volvió nunca más, engañando así al rey por su poca prudencia. Al ver el rey que los días pasaban y que el pícaro no volvía, envió un recado* a su casa para saber si se habían recibido noticias suyas. Pero en la casa no había nadie, solo un arca* cerrada donde, al abrirla, encontraron una carta dirigida al rey que decía así:

–Puede estar seguro de que no existe el tabardíe. Os he engañado. Cuando os dije que os haría rico debió haber sospechado por qué no lo era yo si realmente sabía hacer oro.

A los pocos días de esto, a unos hombres se les ocurrió escribir en una lista los nombres de aquellos que conocían según si eran valientes, ricos, sabios y así todas las demás cualidades. Cuando tuvieron que escribir el nombre de los tontos pusieron al rey el primero. Cuando este lo supo los mandó llamar y les preguntó por qué pensaban que era tonto. Ellos le contestaron que solo un tonto daría tanto dinero a alguien a quien no conocía de nada. El rey les dijo que estaban equivocados, porque cuando aquel hombre regresara con el tabardíe se haría rico y ya no tendría fama de tonto. Los hombres le respondieron que en ese caso el número de la lista no disminuiría*, pues si el otro volvía quitarían el nombre del rey y pondrían el del otro.

Vos, señor conde Lucanor, si no queréis que os tomen por tonto no os fiéis de lo que no conocéis, aunque sea grande el beneficio, porque os arrepentiréis*.

Al conde le gustó este consejo, lo puso en práctica y le fue muy bien. Viendo don Juan que este cuento era bueno, lo hizo poner en este libro y escribió unos versos que dicen así:

No aventures[15] *nunca tu riqueza*
por consejo del que vive en pobreza.

---

[15] *aventures:* arriesgar*, poner en peligro.

CUENTO V

LO QUE HACEN LAS HORMIGAS*
PARA MANTENERSE

Otra vez hablaba el conde Lucanor con Patronio, su consejero, de este modo:

–Patronio, gracias a Dios yo soy bastante rico. Muchos me aconsejan que me dedique a comer, a beber, a descansar y a gozar, puesto que tengo suficiente dinero para los años que me quedan por vivir y para dejar una buena herencia a mis hijos. Por vuestro buen entendimiento, os ruego que me deis consejo sobre lo que debo hacer.

–Señor conde Lucanor –le respondió Patronio–, aunque descansar y gozar de la vida no es algo malo, me gustaría que atendieseis a lo que hacen las hormigas para mantenerse.

El conde le preguntó cómo era aquello. Y Patronio le dijo:

—Señor conde Lucanor, como sabéis, aunque la hormiga, por su pequeño tamaño, no debería necesitar demasiada comida para alimentarse, cada año sale de su hormiguero para buscar todo el grano* que puede. También sabéis que, aunque tenga todo el grano que necesita para comer, cuando hace buen tiempo sigue llevando al hormiguero toda la comida que encuentra porque teme no tener suficiente con lo almacenado. Es decir, que siempre está trabajando y nunca pierde el tiempo que Dios nos ha dado para que lo aprovechemos.

Vos, señor conde, con el ejemplo de la hormiga, que siendo tan pequeña da tantas muestras de inteligencia y dedicación, debéis convenceros de que no es conveniente para nadie, y menos aún para quien ocupa un alto cargo y debe gobernar a mucha gente, el comer siempre sin reponer la comida.

Por mucho dinero que se tenga, si siempre se gasta del mismo y nunca se repone, se acabará terminando un día u otro. Por eso os aconsejo que, si queréis comer o descansar, lo hagáis sin olvidar vuestra dignidad y pensando en el día de mañana para estar seguros de que nunca os faltará nada.

Al conde le gustó mucho este consejo que Patronio le dio, le hizo caso y nunca se arrepintió. Como a don Juan le agradó esta narración, la hizo poner en este libro y escribió unos versos que dicen así:

No comas siempre de lo que has ganado,
vive de modo que mueras honrado.

CUENTO VI

LO QUE LE SUCEDIÓ AL ÁRBOL
DE LA MENTIRA

Un día, hablando el conde Lucanor con Patronio, su consejero, le dijo así:

—Patronio, desde hace unos días estoy muy disgustado* y a punto de pelearme* con unas personas que no se portan demasiado bien conmigo. Son tan mentirosas que nunca dicen la verdad. Sus mentiras, que siempre las cuentan como si fuesen verdad, les son muy beneficiosas y las usan para tener más poder y poner a la gente contra mí. Estoy convencido de que si yo quisiera podría mentir tan bien como ellos, pero como sé que la mentira es mala no he querido hacerlo todavía. Por vuestro buen entendimiento, os ruego que me digáis de qué manera debo portarme con esos hombres tan mentirosos.

–Señor conde Lucanor –le respondió Patronio–, para que podáis hacer lo mejor y lo que más os conviene, creo que debéis conocer lo que les sucedió a la Verdad y a la Mentira.

El conde le rogó que le contara.

–Señor conde Lucanor –dijo Patronio–, la Mentira y la Verdad se encontraron una vez, y cuando habían pasado ya un tiempo juntas, la Mentira, que es muy hábil, dijo a la Verdad que deberían plantar un árbol para poder luego disfrutar de sus frutos y poder sentarse a su sombra* cuando llegara el calor. La Verdad, al ver que la cosa era fácil y agradable, aceptó el proyecto.

Cuando el árbol empezó a brotar*, la Mentira dijo a la Verdad que lo mejor sería repartirlo. A la Verdad le pareció muy bien. La Mentira aconsejó a la Verdad que eligiera las raíces*, que ella se quedaría con las ramas, aunque se arriesgaba* mucho ya que al estar encima de la tierra podrían ser cortadas por los hombres, comidas por los animales, quemadas por el sol o heladas por el frío.

Al oír todas estas razones, la Verdad, que no tiene malicia, creyó todo lo que le dijo la Mentira y se quedó con la raíz del árbol. La Mentira se puso muy contenta al ver que había engañado a su compañera con mentiras tan adornadas y hermosas, con tanta apariencia de verdad.

Entonces la Verdad se metió en la tierra donde están las raíces y la Mentira se quedó sobre la tierra, junto con los hombres. El árbol empezó a crecer y a echar grandes ramas y hojas muy verdes y anchas que daban mucha sombra. Cuando la gente veía aquel árbol de tan bello color se sentía tan atraída por él que no quería moverse de allí.

En la región se decía que, si se quería descanso y alegría, debían ir a ponerse a la sombra del árbol de la Mentira. Esta, que es tan astuta, hacía pasar muy buenos ratos a las gentes que se acercaban al árbol y les enseñaba lo que sabía. Y así, consiguió atraer a la mayoría de las personas. A unos les enseñaba mentiras sencillas, a los más ingeniosos[16] mentiras dobles y a los sabios mentiras triples.

La Mentira empezó a tener una enorme popularidad mientras que la triste y desgraciada Verdad seguía bajo tierra sin que nadie se preocupara de ir a buscarla. Cuando no le quedaba para mantenerse más que las raíces del árbol, que había elegido por consejo de la Mentira, empezó a comérselas para poder alimentarse.

---

[16] *ingeniosos:* personas que piensan e inventan con rapidez y facilidad.

Aunque aquel árbol tenía fuertes ramas y anchas y verdes hojas, antes de que sus flores pudieran dar fruto sus raíces fueron comidas por la Verdad.

Cuando finalmente todas desaparecieron y no quedaban raíces para sujetar el árbol, vino un viento que sopló con tal fuerza que lo derribó y cayó sobre la Mentira, a la que lesionó gravemente. Entonces, por el hueco* que ocupaba el tronco* salió la Verdad de su agujero y al llegar a la superficie vio que la Mentira y todos los que a ella se habían unido estaban heridos y arrepentidos de haberse fiado de la Mentira y de sus consejos.

Vos, señor conde Lucanor, fijaos en que la Mentira tiene hermosas ramas y flores muy agradables a la vista, pero son como humo* y no llegan nunca a dar buenos frutos. Por eso, aunque vuestros enemigos usen mentiras y engaños, debéis evitarlos y no querer imitarlos*. Seguro que la prosperidad que consigan con sus mentiras no les durará mucho; cuando menos se lo esperen, como cayó el árbol de la Mentira, caerán ellos también.

Junto a la Verdad viviréis siempre feliz y os ganaréis la gracia de Dios, que os hará un hombre dichoso y respetado en este mundo y os dará en el otro la vida eterna.

Al conde le agradó mucho este consejo que le dio Patronio, lo puso en práctica y le fue muy bien. Viendo don Juan que este cuento era bueno, lo hizo poner en este libro y escribió unos versos que dicen así:

Mal acabará el que suele mentir,
por eso debemos de la mentira huir.

CUENTO VII

LO QUE LE SUCEDIÓ A UNA ZORRA QUE SE TENDIÓ EN LA CALLE Y SE HIZO LA MUERTA

El conde Lucanor hablaba un día con Patronio, su consejero, y le dijo:

—Patronio, un pariente mío no tiene el poder suficiente para evitar que en la comarca donde vive se aprovechen de él. Los poderosos de esa región están buscando cualquier pretexto para ir en su contra. Mi pariente dice que ya no puede aguantar más esta situación; está pensando en abandonar la comarca antes de seguir viviendo de ese modo. Por vuestro buen entendimiento, os ruego que me aconsejéis lo que debo hacer.

—Señor conde Lucanor —le respondió Patronio—, para que podáis aconsejar a vuestro pariente os conviene mucho prestar atención a lo que le sucedió a una zorra que se hizo la muerta.

El conde le pidió que se lo contara.

—Señor conde Lucanor —dijo Patronio—, una zorra entró una noche en un corral* de gallinas* y estuvo tanto tiempo comiéndoselas que, cuando quiso irse, ya había salido el sol y la gente andaba por la calle. Al ver que si intentaba escapar pronto la verían, salió del corral y se tendió en la calle haciéndose la muerta. Cuando la gente la vio creyeron que realmente estaba muerta y nadie se le acercó. Entonces pasó por allí un hombre que dijo que los pelos de la frente de la zorra puestos en la frente de los niños impiden que les echen mal de ojo[17]. Dicho esto, le cortó a la zorra con unas tijeras los pelos de la frente. Después pasó otro y dijo lo mismo de los pelos del lomo[18]; otro dijo lo mismo de la ijada[19], y otros lo dijeron de otras partes del cuerpo. De modo que acabaron por trasquilar* todo el cuerpo. Sin embargo, la zorra no se movió en ningún momento: consideró que era mejor perder el pelo que la vida. Después otro hombre dijo que la uña* de la zorra era muy buena para la inflamación*

---

[17] *mal de ojo:* según la creencia popular, una persona puede influir sobre otra mirándola de cierta manera.

[18] *lomo:* parte inferior y central de la espalda.

[19] *ijada:* hueco entre las costillas y los huesos de las caderas.

de los dedos y se la sacó sin que ella se moviera. Al rato llegó otro que dijo que el colmillo* de la zorra era bueno para el dolor de muelas, y se lo sacó sin que tampoco ella se moviera. Entonces llegó un hombre que dijo que el corazón de la zorra era bueno para el dolor de corazón, y cogió un cuchillo para sacárselo. Al ver el cuchillo, la zorra pensó que el corazón, a diferencia del pelo, no volvía a crecer y que si se lo sacaban moriría con toda seguridad. Entonces hizo un esfuerzo para escapar corriendo muy rápidamente, y lo consiguió.

Vos, señor conde Lucanor, debéis aconsejar a vuestro pariente que, si Dios le hizo vivir en una comarca donde no puede evitar ser ofendido ni puede defenderse de las ofensas, lo soporte con paciencia si no le suponen demasiados problemas. Pero si las ofensas le perjudicasen gravemente, entonces debe dejarlo todo. Es mejor perder lo que uno tiene que vivir aguantando y dejar que algo le perjudique forzosamente.

El conde creyó que era muy buen consejo. Don Juan mandó escribir en este libro el cuento e hizo unos versos que dicen así:

Disimula todo aquello que puedas;
soporta sólo lo que forzosamente debas.

43

CUENTO VIII

LO QUE LE SUCEDIÓ A UN CIEGO QUE CONDUCÍA A OTRO[20]

Otra vez, hablando el conde Lucanor con Patronio, su consejero, le dijo:

–Patronio, un pariente mío, de quien me fío mucho y sé que me quiere, me aconseja que visite un lugar donde yo temo ir. Él me dice que no debo tener miedo, que antes moriría él que permitir que a mí me sucediera algo. Os ruego que me aconsejéis cómo debo actuar.

–Señor conde –dijo Patronio–, antes de daros mi consejo me gustaría que supierais lo que le pasó a un ciego con otro.

El conde le preguntó qué le había pasado.

–Señor conde –dijo Patronio–, en una ciudad vivía un hombre pobre que se quedó ciego. Otro ciego, que

---

[20] Este cuento es de origen bíblico. Aparece en Lucas (VI, 39) y en Mateo (XV, 14).

Cuando llegaron a un lugar difícil y peligroso, cayó el ciego que guiaba al otro, que también se mató al perder al compañero y quedarse solo en el camino.

vivía en la misma ciudad, fue a visitarle para proponerle que se fueran los dos a otra ciudad próxima a la suya, en donde se podían ganar la vida pidiendo limosna en nombre de Dios. Nuestro ciego temía mucho aquel viaje. Sabía que el camino que llevaba a aquella ciudad era muy peligroso para ellos, puesto que tenía muchos pozos* y barrancos*. El otro ciego le contestó que no se preocupara por nada, que él le acompañaría y así no le pasaría nada. Tantas veces se lo dijo y tantas ventajas le aseguró que encontrarían en la otra ciudad que nuestro ciego terminó por creerle y se fue con él. Cuando llegaron a un lugar difícil y peligroso, cayó el ciego que guiaba al otro, que también se mató al perder al compañero y quedarse solo en el camino.

Vos, señor conde, si teméis con motivo y el peligro es real, no os metáis en él aunque vuestro pariente os diga que daría su vida antes de poneros en peligro, pues de poco os servirá que él muera primero si también morís después.

El conde creyó que este consejo era bueno, lo puso en práctica y le fue muy bien. Viendo don Juan que este cuento era bueno, lo hizo poner en este libro y escribió unos versos que dicen así:

Huir del peligro es mayor seguridad
que la que ningún amigo os pueda dar.

CUENTO IX

LO QUE LE SUCEDIÓ
A UN HOMBRE QUE IBA
CARGADO DE PIEDRAS PRECIOSAS
Y SE AHOGÓ* EN UN RÍO

Un día dijo el conde a Patronio que tenía muchas ganas de quedarse en un lugar donde le tenían que dar mucho dinero y donde podría obtener mucho beneficio. Pero también temía por su vida si permanecía mucho tiempo en aquel lugar. Entonces solicitó consejo a Patronio.

–Señor conde –respondió Patronio–, para que veáis lo que más os conviene, me gustaría que supierais lo que le sucedió a un hombre que llevaba encima grandes riquezas y cruzaba el río.

El conde le preguntó qué le había sucedido.

–Señor conde Lucanor –dijo Patronio–, un hombre llevaba con él una gran cantidad de piedras pre-

ciosas; llevaba tantas que su peso era enorme. Sucedió
que tenía que cruzar un río, y como llevaba una carga
tan grande se iba hundiendo poco a poco. Al llegar a
la mitad del río empezó a hundirse todavía más. Uno
que estaba en la orilla* le comenzó a dar voces para
decirle que si no soltaba aquella carga se ahogaría. El
hombre, sin embargo, no se daba cuenta de que si se
ahogaba perdería todas las riquezas junto con su vida,
y, que si las soltaba, perdería las riquezas pero no la
vida. Por no perder las piedras preciosas que llevaba
consigo, no quiso soltarlas y murió en el río.

A vos, señor conde Lucanor, aunque no dudo que
os vendría muy bien recibir el dinero y cualquier otra
cosa que os quieran dar, os aconsejo que, si hay peligro en quedaros en ese lugar, no lo hagáis. También
os aconsejo que no arriesguéis nunca vuestra vida a
no ser que sea en defensa de vuestra honra. El que se
valora poco y arriesga su vida por codicia* es aquel
que no aspira a hacer grandes cosas.

Al conde le gustó mucho este consejo, lo siguió y le
fue muy bien. Viendo don Juan que este cuento era
bueno, lo hizo poner en este libro y escribió unos versos
que dicen así:

A quien por codicia la vida aventura,
las más de las veces el bien poco dura.

CUENTO X

LO QUE LE SUCEDIÓ AL MAL CON EL BIEN Y AL CUERDO[21] CON EL LOCO

El conde Lucanor hablaba una vez con Patronio, su consejero, de este modo:

—Patronio, tengo dos vecinos: a uno le aprecio mucho porque siempre me da motivos para ello, aunque a veces hace algunas cosas que me perjudican; con el otro no tengo demasiada amistad y alguna vez ha hecho cosas que también me perjudican. Por vuestro buen entendimiento, os ruego que me digáis el modo de portarme con ellos.

—Señor conde Lucanor —respondió Patronio—, esto que me preguntáis no es una cosa, sino que son dos, y muy distintas la una de la otra. Para que podáis

---

[21] *cuerdo:* persona sensata, juiciosa.

hacer lo que más os conviene, me gustaría que escucharais lo que le sucedió al Mal con el Bien y lo que le pasó a un cuerdo con un loco.

El conde le pidió que se lo contara.

–Señor conde Lucanor –dijo Patronio–, como se trata de dos historias distintas, primero os contaré lo que le sucedió al Mal con el Bien y luego lo que le pasó a un cuerdo con un loco.

El Bien y el Mal decidieron vivir juntos. El Mal, que es muy inquieto* y siempre anda con nuevos proyectos, le dijo al Bien que podían plantearse comprar ganado* para mantenerse. El Bien estuvo de acuerdo y decidieron criar ovejas.

Cuando parieron* las ovejas, le dijo el Mal que sería mejor si cada uno escogía la parte del esquilmo[22] que más le interesara. El Bien no quiso elegir y le dijo al Mal que escogiera él primero. El Mal, como es malo y aprovechado, no se hizo de rogar[23], y le propuso al Bien que se quedara con los corderos, que él se quedaría con la leche y la lana* de las ovejas. Al Bien le pareció bien este reparto.

Después de esto, el Mal le propuso al Bien que criaran cerdos. El Bien estuvo de acuerdo. Cuando

---

[22] *esquilmo:* beneficio que se saca del ganado.
[23] *no se hizo de rogar:* no insistir; estar enseguida de acuerdo.

parieron, le dijo el Mal que como anteriormente se había quedado con los corderos y él con la leche y la lana de las ovejas, lo justo sería que el Bien se quedara ahora con la leche y la lana de las puercas[24] y él con las crías. Y así lo hicieron sin que al Bien le pareciese mal.

Después dijo el Mal que debían cultivar algunas hortalizas y decidieron sembrar nabos*. Cuando nacieron, el Mal le dijo al Bien que él no sabía lo que había debajo de la tierra, ya que no se podía ver, pero que cogiera las hojas de los nabos, así no se sentiría engañado, porque él se conformaba con lo que hubiera bajo tierra.

El Bien aceptó otra vez. Luego sembraron coles*. Cuando crecieron le dijo el Mal al Bien que, como antes se había quedado con lo que se veía de los nabos, lo justo sería que ahora se hiciera lo contrario con las coles. El Bien se quedó con lo que estaba bajo tierra y el Mal con las coles.

Poco tiempo después dijo el Mal al Bien que creía que debían tener una mujer para que los sirviera. Al Bien le pareció que era una idea muy buena. Cuando la encontraron, el Mal le hizo una propuesta al Bien: el Bien se quedaría con la parte de la mujer de cintu-

---

[24] *puercas:* hembras del cerdo.

ra para arriba y él se quedaría con la otra mitad. Como el Bien aceptó, su parte hacía lo necesario para cumplir con las tareas de la casa, mientras que la parte del Mal estaba casada con él y tenía que dormir con su marido.

La mujer quedó embarazada* y tuvo un niño. Cuando su madre quiso darle de mamar*, el Bien lo prohibió, diciendo que la leche estaba en su parte y no daba permiso. Cuando el Mal llegó para ver a su hijo, vio que la madre estaba llorando.

Al preguntarle por qué lloraba, la madre le contestó que su hijo no podía mamar porque el Bien no se lo permitía, ya que el pecho estaba en su parte. Cuando el Mal lo oyó, se fue a buscar al Bien y, riendo como en broma*, le pidió que dejara mamar a su hijo. El Bien respondió que la leche estaba en su parte y que no dejaría mamar al niño. El Mal, muy preocupado, empezó a rogarle, y entonces el Bien le dijo:

—Amigo, no penséis que yo no me daba cuenta de la diferencia entre aquellas partes que me dabais y las que os quedabais. Yo jamás os pedí nada de lo vuestro, y me las arreglé[25] como pude con lo mío sin vuestra ayuda. Si ahora necesitáis algo mío, no os podéis sorprender de que yo no os lo dé. Acordaos de lo que

---

[25] *me las arreglé:* salir adelante.

me habéis hecho antes a mí; ahora debéis sufrir las consecuencias de aquello.

Cuando el Mal vio que el Bien tenía razón, y comprendió que su hijo moriría, empezó a rogar al Bien que, por amor de Dios, se compadeciera* de aquella criatura y que olvidara sus maldades. El Mal le prometió a cambio hacer en adelante todo lo que él quisiera. Al oír esto, el Bien le pidió, si quería que permitiera a la mujer dar de mamar a su hijo, que saliera por las calles con el niño en brazos diciendo a todo el mundo:

–Amigos, sabed que por medio del bien vence el Bien al Mal.

El Mal pensó que había comprado muy barata la vida de su hijo, mientras que el Bien consideró que aquello había sido una buena lección.

Al hombre cuerdo le pasó con el loco algo muy distinto. La cosa sucedió así. Un hombre muy bueno y honrado era dueño de unos baños públicos. Cuando el loco aparecía por los baños, se acercaba a la gente que se encontraba allí y les daba tantos golpes con los cubos, con piedras y palos que ya nadie se atrevía a ir a los baños.

El hombre honrado fue perdiendo poco a poco su clientela y su ganancia. Cuando descubrió que el loco era el causante de su mal, madrugó un día y se encerró en el baño antes de que viniera el loco. Se desnudó y cogió un cubo de agua muy caliente y un mazo* de madera muy grande.

Cuando llegó el loco al baño para pegar a los que se bañaban, como solía hacer, el hombre honrado, que le esperaba desnudo, se dirigió a él con mucha furia, le echó el cubo de agua caliente por la cabeza y le dio tantos golpes con el mazo por todo el cuerpo que el loco creyó que moriría y que el otro hombre había perdido también la razón. Entonces, el loco, gritando mucho, escapó de allí lo más rápido que pudo. En la salida se encontró con un hombre que le preguntó por qué iba dando tantas voces y quejándose* tanto. El loco dijo:

–Amigo, tened mucho cuidado, que hay otro loco dentro del baño.

Vos, señor conde Lucanor, comportaos así con vuestros vecinos. A ese con quien tenéis tanta amistad que no creéis que pueda terminar en toda la vida, ayudadle siempre que podáis y, aunque a veces os cause algún perjuicio, recibidle cuando venga a veros y apoyadle en lo que os necesite diciéndole que lo hacéis por amistad y cariño, no porque estéis convencido de ello. Al otro con quien no tenéis tanta amistad, hacedle entender que mantendréis su amistad, pero que si os hace algún mal os vengaréis de él con toda vuestra furia, pues el mal amigo conserva la amistad mucho más por miedo que por otra cosa.

El conde creyó que este era un buen consejo, lo tuvo en cuenta y le fue muy bien. Como don Juan vio que estos cuentos eran muy buenos, los hizo poner en este libro y escribió unos versos que dicen así:

El Bien vence al Mal por medio del bien;
aguantar al malo, ¿qué ventaja es?

CUENTO XI

LO QUE LES SUCEDIÓ A LOS BÚHOS* CON LOS CUERVOS[26]

Otra vez hablaba el conde Lucanor con Patronio, su consejero, de este modo:

—Patronio, yo tengo un enemigo muy poderoso que tenía en su casa a un pariente suyo al que había criado y cuidado muy bien. Un día se pelearon y mi enemigo le ofendió con actos y palabras. Entonces el pariente, aunque tenía muchas cosas que agradecerle, se sintió muy ofendido. Y buscando el modo de vengarse vino a mí para hacerlo juntos. A mí me parece que me conviene porque, como conoce muy bien a mi enemigo, puede decirme la mejor manera de

---

[26] Este cuento es de origen oriental. Llegó a Occidente gracias a la traducción del libro *Calila e Dimna* (versión castellana de 1215 de una colección de cuentos indios del siglo IV).

derrotarle*. Por la confianza que tengo en vos y por vuestro buen criterio, os ruego que me digáis qué es lo que debo hacer.

—Señor conde Lucanor —respondió Patronio—, en primer lugar os aseguro que ese hombre ha venido a buscaros para engañaros. Para que lo entendáis mejor me gustaría que escucharais lo que les sucedió a los búhos y a los cuervos.

El conde le rogó que se lo contara.

—Señor conde Lucanor —dijo Patronio—, los cuervos y los búhos estaban en guerra. Los cuervos iban perdiendo, porque los búhos, que acostumbran a vivir de noche y se esconden de día en cuevas muy difíciles de encontrar, venían por la noche a los árboles donde estaban los cuervos y mataban o herían a todos los que podían. Después de un tiempo, un cuervo, que era muy sabio y estaba muy preocupado por el enorme daño que sufrían los de su especie por parte de los búhos, habló con los demás cuervos y les explicó cuál era el modo de vengarse. La idea era la siguiente: primero los cuervos le arrancarían las plumas de todo el cuerpo, dejándole solo unas pocas en las alas, con lo que volaría con mucha dificultad. Así de maltrecho* se fue a donde estaban los búhos y les dijo que los demás cuervos le habían hecho esto por aconsejar, entre otras cosas, que no lucharan contra los búhos. Por este motivo estaría dispuesto, si ellos querían, a demostrarles cómo podían atacar a los cuervos y hacerles daño.

Al oír esto, los búhos se alegraron mucho y creyeron que gracias a él podrían lograr la victoria, con lo que empezaron a tratarle muy bien y a confiarle todos sus secretos y decisiones. Sin embargo, había entre los búhos uno muy viejo, que ya había visto muchas cosas, que comprendió el engaño del cuervo. Se fue a hablar con el jefe de los búhos para advertirle de que aquel cuervo había venido sólo para averiguar lo que ellos hacían y planeaban; por lo tanto, no era prudente admitirlo en su compañía, pero nadie le creyó. Al ver esto, el búho viejo se separó de ellos y se fue a un lugar donde nunca le encontraran los cuervos. Los otros búhos se fiaron del cuervo.

Pasaron los días y al cuervo le fueron creciendo las plumas. Un día les dijo a los búhos que, como ya podía volar, se iría en busca de los cuervos para luego volver y decirles dónde se encontraban; así, podrían matarlos a todos. Los búhos estuvieron de acuerdo con aquella idea. Cuando el cuervo llegó donde estaban los otros, se juntaron muchos y, enterados de todo lo que hacían los búhos, fueron contra ellos de día, cuando los búhos no vuelan y están despreocupados

Esto les pasó a los búhos por fiarse del cuervo, que era su enemigo natural.

en sus cuevas. Consiguieron matar a tantos que los cuervos ganaron la guerra. Esto les pasó a los búhos por fiarse del cuervo, que era su enemigo natural.

Vos, señor conde Lucanor, sabed que ese hombre que vino a veros es pariente de vuestro enemigo y, por lo tanto, él también lo es. Debéis saber que solo ha venido para engañaros e intentar haceros daño.

El conde creyó que este consejo era muy bueno, lo puso en práctica y le fue muy bien. Viendo don Juan que este cuento era bueno, lo hizo poner en este libro y escribió unos versos que dicen así:

Al que enemigo tuyo solía ser
nunca le debes en nada creer.

CUENTO XII

LO QUE LE SUCEDIÓ A UNA MUJER LLAMADA DOÑA TRUHANA[27]

Otra vez habló el conde Lucanor con Patronio, su consejero, del siguiente modo:

—Patronio, un hombre me ha aconsejado que haga una cosa y el modo en que tengo que hacerla. Os aseguro que si la hago tal y como él me dice, sería muy ventajoso para mí, pues los beneficios se encadenan* unos con otros de tal manera que al final son muy grandes.

Entonces Patronio le pidió que le explicara en qué consistía aquello. Cuando terminó el conde Lucanor, respondió Patronio lo siguiente:

---

[27] Este cuento es de origen oriental, llegó también a Occidente gracias a la traducción del libro *Calila e Dimna,* y acabó siendo uno de los cuentos más populares de la literatura de todos los tiempos. Más tarde se generalizó como el cuento de *La lechera.*

—Señor conde Lucanor, siempre he oído decir que era prudente creer en la realidad y no en lo que imaginamos, pues muchas veces les sucede a los que confían solo en su imaginación lo mismo que le ocurrió a doña Truhana.

El conde le preguntó qué le había sucedido.

—Señor conde —dijo Patronio—, había una mujer llamada doña Truhana, más pobre que rica, que iba camino del mercado llevando sobre su cabeza una olla* de miel. Cuando iba por el camino empezó a pensar que vendería aquella olla de miel y que con el dinero que ganara se compraría una docena de huevos, de los cuales nacerían gallinas. Pensó después que si vendía las gallinas ganaría suficiente dinero para poder comprar ovejas, y así fue pensando en comprar otras cosas hasta que se vio más rica que ninguna de sus vecinas. Luego pensó que al ganar toda esa riqueza podría casar a sus hijos e hijas e iría acompañada por la calle de sus yernos y nueras, oyendo cómo todo el mundo se maravillaba de su buena suerte y de cómo había llegado a tanta prosperidad desde la pobreza en que antes vivía. Pensando en todas estas cosas se empezó a reír y, al reírse tanto, se dio con la mano un golpe en la frente: se cayó la olla en tierra y se partió en pedazos. Cuando la mujer vio la olla rota en el suelo, empezó a lamentarse como si hubiera perdido todo aquello que pensaba haber logrado si no se hubiera roto. De modo que, por poner tanta confianza en lo que imaginaba, no logró nada de lo que quería.

Vos, señor conde Lucanor, si queréis que las cosas que os dicen y las que pensáis se hagan realidad algún día, fijaos bien en que sean posibles de realizar y no fantásticas y dudosas. Si finalmente queréis probar suerte con algo, os recomiendo que nunca arriesguéis aquello que estiméis, solo por la esperanza de conseguir riquezas que no son seguras.

Al conde le gustó mucho lo que dijo Patronio, le hizo caso y todo le salió muy bien. Y como a don Juan le gustó este cuento, lo mandó poner en este libro y escribió estos versos:

En las cosas ciertas confiad
y las fantásticas evitad.

Y así, pongo punto final al libro.

Lo terminó de escribir don Juan en Salmerón, a lunes doce de junio de 1335.

ACTIVIDADES

DE
COMPRENSIÓN
LECTORA

1. ¿En qué siglo se escribió el Conde Lucanor?

....

2. ¿De qué rey era sobrino don Juan Manuel?

....

3. ¿Qué es un infante?

....

4. ¿Con qué fin escribió la obra don Juan Manuel?

....

5. ¿Cómo acaba cada cuento?

....

6. ¿Cómo se llama el consejero del Conde Lucanor?

....

7. ¿Qué significa "vos"?

....

8. ¿Qué es un consejero?

a) El que recibe consejos

b) El que da consejos

9. Los altramuces sirven para alimentar.

a) a las aves de corral

b) al ganado

10. Las hormigas son:

a) Trabajadoras

b) Perezosas

11. ¿Qué es un "cuerdo"?

a) El que no está loco

b) Un tipo de cuerda

12. Los enemigos de los cuervos son:

a) Las gallinas

b) Los búhos

13. Escribe las palabras con que empiezan todos los cuentos que narra Patronio.

....

14. Escribe las palabras con que empiezan todas las enseñanzas que se desprenden de los cuentos.

....

15. Marca verdadero o falso.

a) Don Juan Manuel fue rey de España ......

b) Murió en Madrid ......

c) Fue soldado ......

d) Patronio fue realmente quien escribió el libro ......

e) El pícaro del cuento IV sabía hacer oro ......

16. Contesta a estas preguntas.

a) En el cuento IV se habla de un pícaro, ¿qué significa ser pícaro?

....

b) En el cuento IV, ¿recuerdas qué nombre inventó don Juan Manuel para denominar las bolas de oro?

....

c) En el cuento V se dice que las hormigas salen del hormiguero para buscar

....

d) En el cuento VII se explica cómo la zorra entra donde viven las gallinas, ¿qué hizo por la mañana para que no la mataran?

....

e) En el cuento IX, de qué iba cargado el hombre que se ahogó?

....

f) ¿Con qué parte de las ovejas se queda el Mal en el cuento X?

....

g) ¿Con qué parte de las ovejas se queda el Bien en el cuento X?

....

h) ¿Qué contiene la olla que lleva doña Truhana en el cuento XII?

....

i) ¿Adónde se dirigía doña Truhana?

....

17. El final del cuento IX termina así: "A quien por codicia la vida aventura, las más de las veces el bien poco dura".

¿Conoces algún refrán en español que quiera decir lo mismo?

....

18. ¿Conoces algún refrán en español que sirva como ejemplo para terminar el cuento XII?

....

SOLUCIONES

1. En el siglo XIV.

2. De Alfonso X el Sabio.

3. Un pariente del rey.

4. Para enseñar y educar al lector.

5. Con una moraleja o enseñanza en forma de versos que sirve como resumen del consejo recibido.

6. Patronio.

7. Usted.

8. b.

9. b.

10. a.

11. a.

12. b.

13. Señor conde Lucanor...

14. Vos, señor conde Lucanor...

15. a) Falso.
b) Falso.
c) Verdadero.
d) Falso.
e) Falso.

16. a) Ser astuto o travieso.
b) Tabardíes.
c) Grano.
d) Se hizo la muerta.
e) De piedras preciosas.
f) Con la leche y la lana.
g) Con los corderos.
h) Miel.
i) Al mercado.

17. La avaricia rompe el saco.

18. Más vale pájaro en mano que ciento volando.

Español	Inglés	Francés
admitir	to accept	admettre
ahogarse	to drown	se noyer
alabar	to praise	louer
amargo	bitter	amer
angustiarse	to get distressed	s'angoisser
arca	chest	coffre
arrepentirse	to regret	se repentir
arriesgarse	to risk	se risquer
astuto	shrewd, cunning	rusé
barranco	ravine, gully	précipice, ravin
bastón	cane	canne
broma	joke	plaisanterie
brotar	to sprout	pousser
búho	owl	hibou
capaz	able, capable	capable
cáscara	shell	coquille
codicia	greed	cupidité
col	cabbage	chou
colmillo	fang	croc
compadecerse	to take pity	plaindre
conmovido	moved	ému
consolar	to comfort	consoler
convencer	to convince	convaincre
corral	yard	cour
costura	seam	couture
culpar	to blame (for)	accuser (de), reprocher
cuervo	crow	corbeau
daño	damage	dommage
derrotar	to defeat	vaincre, battre
disgustado	annoyed, upset	contrarié, gêné
disimular	to conceal, to hide	dissimuler, cacher
disminuir	to decrease	diminuer
elogiar	to praise	louer
embarazada	pregnant	enceinte
encadenarse	to link, to follow on	s'enchaîner
envidia	envy	envie
fiarse	to trust	se fier
fracasar	to fail	échouer
gacela	gazelle	gazelle
gallina	hen	poule
ganado	cattle	bétail
garra	claw	griffe

Alemán	Italiano	Portugués (brasileño)
aufnehmen	ammettere	admitir
ertrinken	affogarsi	afogar-se
loben	lodare	elogiar
bitter	amaro	amargo
sich ängstigen	angosciarsi	angustiar-se
Truhe	arca	arca
bereuen	pentirsi	arrepender-se
riskieren	rischiarsi	arriscar-se
schlau	scaltro, astuto	astuto, ladino
Abgrund	balza, burrone	barranco
Stock	bastone	bastão
Spaß, Scherz	celia	brincadeira
ausschlagen	germogliare	brotar
uhu	gufo	mocho (coruja)
fähig	capace	capaz
Schale	guscio	casca
Habgier	cupidigia	cobiça
Kohl	cavolo	couve (repolho)
Fangzahn	zanna	colmilho (presa)
Mitleid haben	compatirsi	apiedarse (compadecerse)
bewegt	commosso	comovido
trösten	consolare	consolar
überzeugen	convincere	convencer
Hof	cortile	curral
Naht	costura	costura
beschuldigen	accusare (de)	culpar (de)
rabe	corvo	corvo
Schaden	danno	dano (prejuízo)
schlagen	sconfiggere	derrotar
verärgert, bekümmert	contrariato, adirato	desgostoso (contrariado)
verbergen	dissimulare, nascondere	dissimular
abnehmen	diminuire	diminuir
loben	lodare	elogiar
schwanger	incinta	grávida
sich verketten	incatenarsi	encadear-se
Neid	invidia	inveja
vertrauen, sich verlassen	fidarsi	fiar-se (confiar)
scheitern	fallire	fracassar
Gazelle	gazzella	gazela
Huhn	gallina	galinha
Vieh	bestiame	gado
Kralle	artiglio	garra

Español	Inglés	Francés
grano	grain, seed	grain
hacienda	property, possessions	fortune
halagar	to flatter	flatter
heredero	heir	héritier
honra	honor	honneur
hormiga	ant	fourmi
hueco	cavity	cavité
humo	smoke	fumée
imitar	to imitate	imiter
inflamación	inflammation	inflammation
inquieto	active, enterprising	entreprenant
insistir	to insist (on)	insister (sur)
lana	wool	laine
limar	to file	limer
limosna	alms	aumône
maltrecho	battered, damaged	mailtraité
mamar	to suckle	téter
manuscrito	manuscript	manuscrit
mazo	mallet	maillet
mendigo	beggar	mendiant
merecer	to deserve	mériter
nabo	turnip	navet
negligencia	negligence	négligence
olla	pot	pot
orilla	bank	rive
parir	to give birth, to lamb	mettre bas
pelear	to quarrel	disputer
perjudicar	to harm	nuir
pozo	pit, pothole	puits, trou
quejarse	to moan	se plaindre
raíz	root	racine
recado	message	message
reflejo	gleam, glint	reflet
semilla	seed	graine, semence
sombra	shadow	ombre
sospechar	to suspect	soupçonner
sufrimiento	suffering	souffrance
trasquilar	to crop	tondre
tronco	trunk	tronc
trono	throne	trône
uña	claw	griffe
vanidad	vanity, conceit	vanité

Alemán	Italiano	Portugués (brasileño)
Korn	grano	grão
Vermögen	beni di fortuna	fazenda (bens)
schmeicheln	allettare	adular
Erbe	erede	herdeiro
Ehre	onore	honra
Ameise	formica	formiga
Hohlraum	incavo	cavidade (buraco)
Rauch	fumo	fumo (fumaça)
nachmachen	imitare	imitar
Entzündung	infiammazione	inflamação
unternehmungslustig	intraprendente	empreendedor (ativo)
bestehen (auf)	insistere (su)	insistir (em)
Wolle	lana	lã
feilen	limare	limar
Almosen	elemosina	esmola
übel zugerichtet	strapazzato	maltratado
trinken	poppare	mamar
Manuskript	manoscritto	manuscrito
Holzhammer	maglio	maço
Bettler	mendico, accattone	mendigo
verdienen	meritare	merecer
Rübe	rapa	nabo
Nachlässigkeit	negligenza	negligência
Kochtopf	pentola	panela
Ufer	sponda	beira (margem)
werfen	partorire	parir
streiten	bisticciare	renhir (brigar)
schaden	nuocere	prejudicar
Grube	buca	poço
jammern	lagnarsi	queixar-se
Wurzel	radice	raiz
Nachricht, Bescheid	messaggio	recado, mensagem
Glanz	riflesso	brilho (reflexo)
Samen	seme	semente
Schatten	ombra	sombra
vermuten, ahnen	sospettare	suspeitar
Leiden	sofferenza	sofrimento
scheren	tosare	tosar
Stamm	fusto	tronco
Thron	trono	trono
Kralle	unghia, artiglio	unha, garra
Eitelkeit	vanità	vaidade